I smell like a FLOWER

By Bean (John) West and Nelly

Art by Audrey Lee

I Smell Like a Flower
Copyright © 2022 by Bean (John) West and Nelly Cuenca
Illustrated by Audrey Lee

ISBN: 978-1-955509-02-2

Published by Impact Publishing, Inc.
P.O. Box 27311
San Antonio, TX 78227
www.ImpactPublishing.Ink

To our Avalanche for the years of loyalty, laughter and unwavering love. You live forever in our hearts.

"Mama Nelly, I smell like a flower.
Did you know this is a daisy?", said Bean.

"Did you know Daisies differ in color, shapes, and sizes?", said Mama Nelly.

"Mama Nelly, I smell like a flower.
Did you know this is a bluebonnet?", said Bean.

"Did you know that the bluebonnet is the state flower of Texas?", said Mama Nelly.

"Mama Nelly, I smell like a flower. Did you know this is a tulip?", said Bean.

"Did you know that the Netherlands became the center of the tulip production in the 1600s and still is today?", said Mama Nelly.

"Mama Nelly, I smell like a flower. Did you know this is a rose?", said Bean.

"Did you know that there are over 100 species of the rose?", said Mama Nelly.

"I smell like a flower!", said Bean.
"Yes, you smell like a flower.",
said Mama Nelly.

ABOUT THE AUTHOR

Bean West is a charismatic five-year-old from North Texas. He is the co-founder of MaaPaa, a nonprofit organization catered towards helping single mothers raise their sons and empowering mothers to be the best versions of themselves. Bean not only helps to empower mothers but now other children his age through the stories he tells.

Having thrived during the pandemic, Mama Nelly and Bean have decided he can skip kindergarten and focus on writing children's books instead.

Nelly Cuenca is a retired Hockaday mom (class of 2019) who successfully raised a lifer. Mama Nelly holds a Bachelor in Social Work from the University of Texas at Arlington and a Master of Science in Management from The University of Texas at Dallas. She is the CEO of MaaPaa and an instructor of Mental Health First Aid. Mama Nelly is the coauthor of *I Smell Like a Flower*, the first book from a series that focuses on bringing daily occurrences to life. Mama Nelly enjoys reading, dancing and being one with nature for fun.

You can follow Mama Nelly and Bean's journey on the following platforms:

Facebook: MaaPaa.org
Instagram: maapaa.org
Website: maapaa.org
LinkedIn: www.linkedin.com/in/
nelly-cuenca

MEET THE ARTIST

Audrey Lee is an alumna from Southern Methodist University who studied Mechanical Engineering, Studio Art, Applied Physiology, and Health Management. She is very passionate about creating impactful designs, whether it's in STEM, art, or drawing connections between the two.

Before illustrating, Audrey worked as the graphic designer for the SMU John G. Goodwin Tower Center creating booklets, flyers, infographics, and more. She then made her debut as an illustrator in *I Smell Like a Flower* and is excited to continue her work as an illustrator with Bean and Nelly and their non-profit organization MaaPaa.

Audrey is currently in graduate school, studying Bioengineering, but when she is not studying or illustrating, she can be found running with her dog, Dakoda, on the San Diego or Seattle beaches.

ACERCA DE LA ILUSTRADORA

Audrey Lee es alumna de la Universidad Metodista del Sur que estudió Ingeniería Mecánica, Arte de Estudio, Fisiología Aplicada y Gestión de la Salud. Le apasiona crear diseños impactantes, ya sea en STEM, arte, o dibujar conexiones entre los dos.

Antes de ilustrar, Audrey trabajó como diseñadora gráfica para SMU John G. Goodwin Tower Center creando folletos, volantes, infografías y mas. Luego hizo su debut como ilustradora en *I Smell Like a Flower* y esta emocionada de continuar su trabajo como ilustradora con Bean y Nelly en su organización sin fines de lucro MaaPaa.

Audrey esta actualmente en la escuela de posgrado, estudiando Bioingeniería. Cuando no está estudiando o ilustrando, se la puede encontrar corriendo con su perro, Dakoda, en las playas de San Diego o Seattle.

SOBRE EL AUTOR

Bean West es un niño carismático de cinco años del Norte de Texas. Es el cofundador de MaaPaa, una organización sin fines de lucro que se enfoca en ayudar a las madres solteras a criar a sus hijos y empoderar a las madres para que sean las mejores versiones de si mismas. Bean no solo ayuda a empoderar a las madres, sino también a otros niños de su edad a través de las historias que cuenta. Después de haber prosperado durante la pandemia, Mama Nelly y Bean decidieron que no asistiera el kinder para enfocarse en escribir libros para niños.

Nelly Cuenca es una madre jubilada de Hockaday (clase de 2019) que crio con éxito a una vida. Mama Nelly tiene una licenciatura en Trabajo Social de la Universidad de Texas en Arlington y una Maestría en Ciencias en Administración de la Universidad de Texas en Dallas. Es la directora ejecutiva de MaaPaa e instructora de primeros auxilios en salud mental. Mama Nelly es coautora de *I Smell Like a Flower*, el primer libro de una serie que se centra en dar visa a los sucesos cotidianos. Para diversión, Mama Nelly le gusta leer, bailar y ser una con la naturaleza.

Puede seguir el viaje de Mama Nelly y Bean en las siguientes plataformas:

Facebook: MaaPaa.org
Instagram: maapaa.org
Website: maapaa.org
LinkedIn: www.linkedin.com/in/
nelly-cuenca

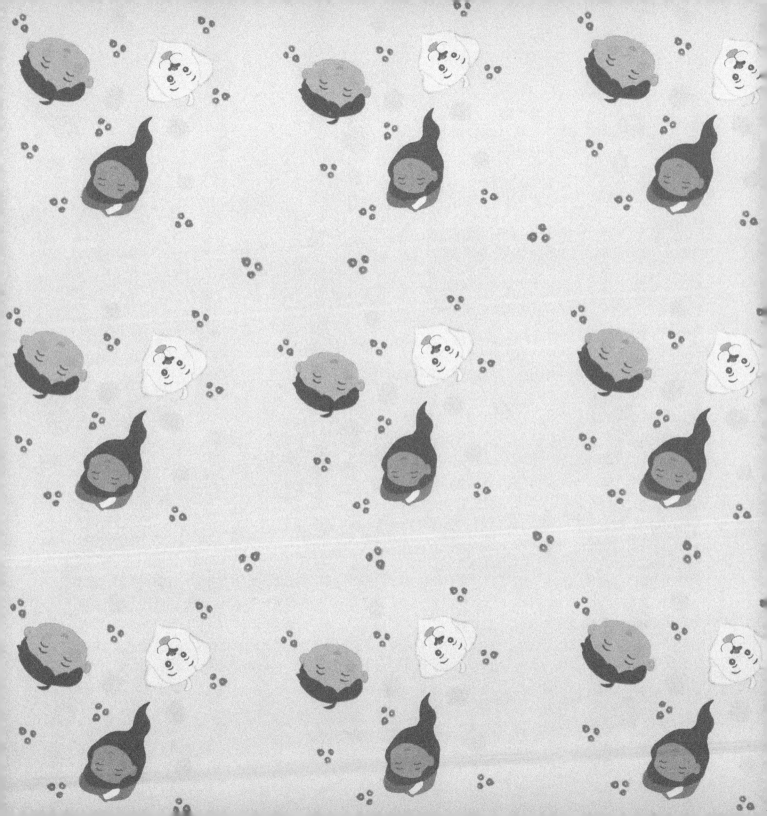

"¡Huelo como una flor!" dijo Bean.
"Sí, hueles como una flor. La flor más dulce del mundo," dijo Mamá Nelly.

Hueles como un pescado apestoso.

"¿Sabías que hay mas de 100 especies de rosas?" preguntó Mamá Nelly.

"Mamá Nelly, huele a flor," dijo Bean. "¿Sabías que esta es una rosa?"

"¿Sabías que los Países Bajos se convirtieron en el centro de producción de los tulipanes en los años 1600 y lo siguen siendo hoy?" preguntó Mama Nelly.*

"Mamá Nelly, huelo como una flor. ¿Sabías que este es un tulipán?"

Hueles como un vaquero tejano.

"¿Sabías que el bluebonnet es la flor del estado de Texas?" preguntó Mamá Nelly.

"Mamá Nelly, huelo como una flor," dijo Bean.
"¿Sabías que esto es un bluebonnet?"

Mamá Nelly me
ama, Mamá Nelly
me ama mucho.

Hueles como una bota vieja.

"¿Sabías que margaritas son diferentes de color, forma, y tamaño?" preguntó Mamá Nelly.

"Mamá Nelly, huelo como una flor.
¿Sabías que esto es una margarita?"
preguntó Bean.

A nuestra Avalancha por
los años de lealtad, risa
y amor inquebrantable.
Vives para siempre en
nuestros corazones.

Huelo como una FLOR

Por Bean (John) West y Nelly

Ilustrado por Audrey Lee

9 781955 509022